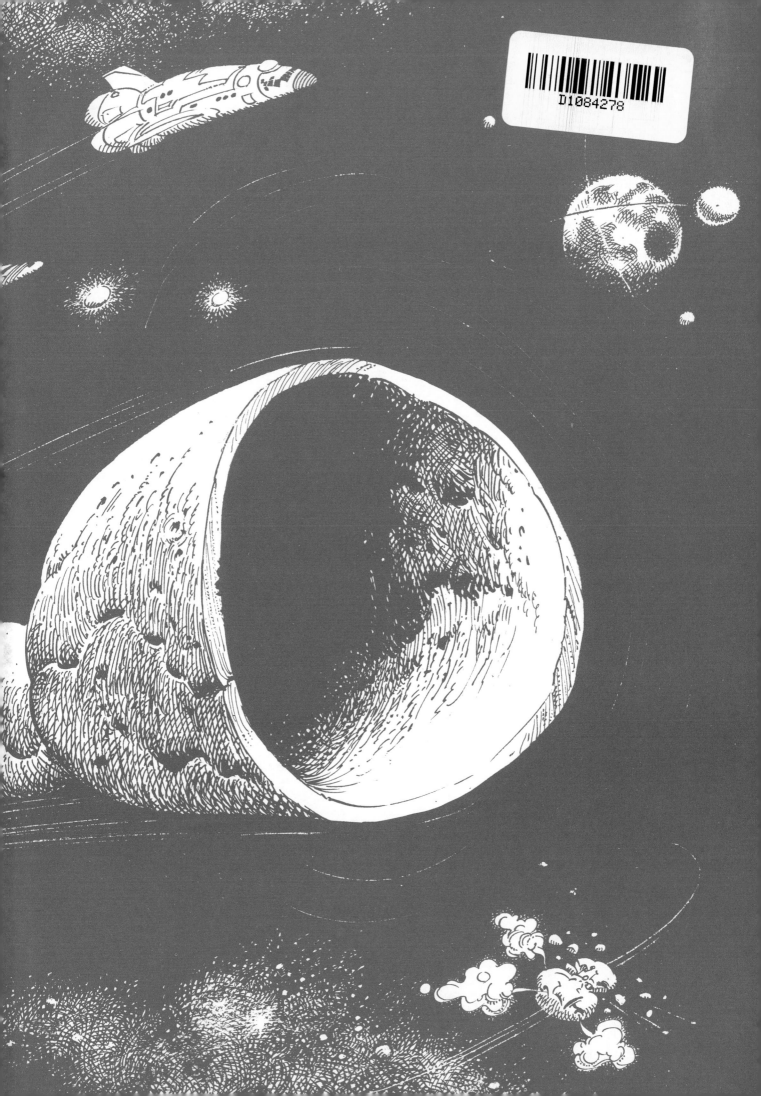

LA SAGA DES GAFFES

OÂH! IL Y A BIEN **50 GAGS** DANS CET ALBUM 14/...

QUATORZE !! MAIS ILS N'ONT PAS D'ALBUM 5!

QUATRE DE CES GAGS ONT PARU DANS UN BROCHÉ À TIRAGE LIMITÉ...

...ET CINQ DANS UNE PLAQUETTE PUBLICITAIRE ...

...ET ATTENTION : JE NE VEUX PLUS VOIR DE FAUX DÉPART !

DUPUIS

Un tirage de luxe de cet ouvrage a été publié au profit de l'unicef et constitue le Nº 7 de la collection TIRAGE DE TÊTE DUPUIS.
Cette édition originale de cette œuvre a été limitée à 6.000 exemplaires en langue française, numérotés et signés par l'auteur. Elle a été réalisée sur papier MARESQUEL PHENIX 135 g/m², cahiers cousus sous couverture cartonnée luxe et pelliculée. Une présentation spéciale de l'unicef y est faite en pages 47 et 48.

Tirage de tête : I.S.B.N. 2-8001-0804-5
Edition normale : I.S.B.N. 2-8001-0955-6

DUPUIS

MARCINELLE-CHARLEROI / PARIS / MONTREAL /BRUXELLES / SITTARD

HÉ! MAIS C'EST LAGAFFE QUI FAIT DU STOP!

C'EST TOI, MANU! MARRANT. OAH DIS! TU PEUX ME CONDUIRE À...

NON! JE TRAVAILLE, MOI... ET TON PUISSANT BOLIDE?

BOF! EN PANNE... JUSTEMENT JE DOIS ME TAPER QUARANTE BORNES POUR ALLER CHERCHER LA PIÈCE DE RECHANGE ...

CLAP

T'AS RAISON... LES ANTIQUAIRES SONT SOUVENT MOINS CHERS EN PROVINCE...

ON ME L'A DÉJÀ FAITE. AAAH, JE M'ESCLAFFE...

PRENDS CECI, TU VEUX? ...

...DONC, ILS T'ONT MIS À LA SIGNALISATION?...

OUI... TIENS NE ME PERDS PAS ÇA...

DÉPOSE L'ANCIEN DANS LA VOITURE... ET TU ME PASSERAS LES COLLIERS DE SERRAGE ...

OUAIS, HO! C'EST BIEN FIXÉ...

TU ES SÛR QUE TU NE VAS PAS VERS...

SÛR ET CERTAIN! DIS, LAGAFFE... POUR LE STOP, JE SERAIS À TA PLACE, JE N'INSISTERAIS PAS... ÇA NE MARCHERA PAS...

OAHDIS! HÉ! HOOO. PFFOH HA! HA!

VROP VROM

B55

OH! BON ...

ON A RAS LE CHOSE DE CES SIGNATURES ILLUSTRÉES! MARRE, QUOI! — Franquin

...JE ME SUIS DIT QUE LA VITESSE POUVAIT ÊTRE RECONVERTIE EN **ENERGIE**...

LA VITESSE DE VOTRE TACOT ? 'Z'ÊTES OPTIMISTE ?!!

ALORS, QUOI ? IL A DE LA GUEULE, MON ROTOR, NON ?

ÖÖÖH.! CE BIDUUUULE.! POUR PROPULSER ÇA DANS L'AIR VOUS DEVEZ EN BOUFFER, DE L'ESSENCE.!

C'EST SCIENTIFIQUEMENT PROFILÉ, SOT...

TIENS! J'AVAIS JURÉ DE NE PLUS JAMAIS... MAIS JE NE VEUX PAS MANQUER LE PREMIER ESSAI DU MACHIN LE PLUS TARTE DE L'ANNÉE.!...HAHAA! **EN VOITURE**!

...AUSSITÔT QU'ON ROULE... ATTENDS, JE VÉRIFIE...OUI... L'HÉLICE SE MET À TOURNER...

HÉ! JE VOUS SIGNALE QUE LA RUE TOURNE AUSSI...

...ICI, SUR L'AUTOROUTE, L'HÉLICE TOURNE À PLEINE VITESSE, BOURRANT D'ÉNERGIE UNE BATTERIE DE MON INVENTION CONTENUE DANS LE PETIT CARÉNAGE ...TU VERRAS:

QUAND ON A BIEN CHARGÉ, ON COUPE LE MOTEUR...

RRAAARAA

...L'HÉLICE PREND LE RELAI, AUTOMATIQUEMENT, POUR PROPULSER LA VOITURE...

HÉ ?!...DITES, VOUS ALLEZ PERDRE LE....JE LE TIENS, MAIS...STOP!

QUOI?

CRAÀAC

...ET TU CONTINUES, PEINARD, SANS CONSOMMER UNE GOUTTE D'ESSENCE... C'EST ÇA, L'ÉNERGIE DOUCE, MON VIEUX...

KRKROTCH

KRKROTCH

AAAH!

FFFFRRRRTTT

RRROGNTW!!! RRROGNTIDI!! RROGNTIDJI!!!

HOHÉBIN! 'CORE UN NOUVEAU MODÈLE D'AILE VOLANTE ... QU'EST-CE QU'ON N'INVENTE PAS TOUT POUR SE CASSER LA GUEULE!

CHAMBRE C 203

'FAUT DIRE QUE CE MUR DE FERME EST STUPIDEMENT SITUÉ... MAIS PENSE QUE TU AS PARCOURU PAS LOIN DE **CINQUANTE MÈTRES**.! T'AURAIS DU ESSAYER DE NE PAS CASSER LE ROTOR... MAIS MOI,...

C 208

...IL EN FAUT PLUS POUR ME DÉMONTER ...ALORS ÉCOUTE: JE RETRAVAILLE LE MÊME SYSTÈME, **TU TRAVERSES LA MANCHE**! ET NOUS SOMMES CÉLÈBRES PRUNELLE, NOUS ALLONS FRAPPER UN GRAND COUP!

D'ACCORD! C'EST MOI QUI COMMENCE ...

863

Franquin

DRRAAIIIING

HUHHH?

'VOUS AI OBSERVÉ : VOUS ROUPILLEZ DEPUIS UNE HEURE ...

ABLF.. UNE HEURE ?

OUI ! ÇA SUFFIT, VOICI LE TRAVAIL !

DÉPOSE ÇA LÀ JE M'EN OCCUPERAI DANS UNE HEURE ...

CLIC CLAC

DITES-DONC...

REBOBINAGE RAPIDE ...

VRRRRT

CLAC

LAGAFFE, ROGNTUDJ'

TCHAC

TAIS-TOI !...J'ÉCOUTE SI J'AI BIEN DORMI...

RRROOO... PFFF... RRROOO PFFF... FRRROOO...PFFF FRRROOZ ZZ

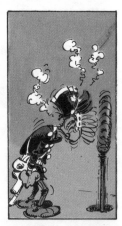

851

?

VAINQUEUR PAR K.O.,!

854

Franquin

VOILÀ ! ÇA ME REPREND ...JE VIENS POUR LE FAIRE TRAVAILLER...ET QUAND JE LUI VOIS CETTE EXPRESSION DE BONHEUR... CETTE PARFAITE SÉRÉNITÉ...JE SUIS IMPRESSIONNÉ...

...CE GARÇON DOIT FAIRE DES RÊVES INEFFABLES... D'UNE ÉLÉVATION... D'UNE SPIRITUALITÉ... QUI PLANENT LOIN AU-DESSUS DE L'AGITATION UN PEU VAINE DE CETTE MAISON ...

G. LAGAFFE

860

 BINOUAIS ! C'EST UN GAG EN UNE BANDE ... UN DESSINATEUR DONNE L'EXEMPLE EN ÉCONOMISANT LE PAPIER, L'ENCRE ET SON ÉNERGIE : VOUS ALLEZ VOIR, ON VA L'ENGUEULER !!!

Franquin

SIGNÉS ! ENFIN ! ILS SONT -SNIF- SIGNÉS ...

NOS CONTRATS ! TOUS NOS CONTRATS, EN DOUBLE EXEMPLAIRE ...

ATTENTION ! LE SPÉCIALISTE DE L'ÉCONOMIE D'ÉNERGIE, C'EST LAGAFFE, C'EST MOI !

...ÉCOLOGIE, RÉCUPÉRATION, RECYCLAGE DES MATIÈRES PREMIÈRES !

...JE FAIS DU NEUF AVEC DU VIEUX ! ÇA DEVRAIT VOUS INTÉRESSER, DE MESMAEKER ...DONNEZ-MOI CES PAPERASSES...

?

M...M...MAIS CE SONT LES...

DÉMONSTRATION : REMARQUEZ QUE MON NOUVEL APPAREIL AVALE EN UNE FOIS CETTE INDIGESTE LIASSE ...

DJIIIII

CLIC

..ET RESTITUE EN QUELQUES SECONDES D'UN CÔTÉ LE PAPIER, BLANC COMME NEIGE, ET ICI L'ENCRE DU TEXTE LE TOUT PRÊT À RESSERVIR ! GÉNIAL, NON ?!

HÉLAS ! LA MACHINE NE PEUT RIEN POUR LES DÉBILES INDÉLÉBILES DE CE BUREAU !

PRÊT À RESSERVIR, HMM ? RROGNTUDJ.

M'ENFIN ?! TU N'AS PAS DIT QUE C'ÉTAIT LES ...GLIG-L

IDÉE : MICHEL DEFAUCES

Franquin

⑦

'TTENTION, HOO ! C'EST LE TERRITOIRE DE CHASSE DE LONGTARIN...

...FAUT NOURRIR L'AFFREUX MANGE-FRIC...

TIENS ? NE SERAIT-CE PAS... ? MAIS SI ! C'EST MANU !

JE ME DISAIS BIEN : JE CONNAIS CETTE TÊTE ! HI ! HI !...

...LA DERNIÈRE FOIS QU'ON S'EST VU, TU ÉTAIS. RAMONEUR... VRAIMENT, ON PEUT DIRE QUE TU AS DES HAUTS ET DES BAS, TOI !... WOUAH ! ELLE EST BONNE...

...MAIS SOYONS SÉRIEUX... T'AS EU RAISON DE CHANGER : LA SUIE, C'EST SALE...

DIS, MANU, TU SAIS, MOI, LE TRAVAIL, ÇA ME PASSIONNE... JE PEUX DESCENDRE VOIR CE QUE TU FAIS, DIS, HÔ, TU VEUX BIEN ?

BON, MAIS C'EST PAS LASCAUX, HEIN...

OÂH ! DIS-DONC ! TU AS CREUSÉ DE VRAIES GALERIES...

BINOUAIS, JE REMPLACE DES TUYAUX.

MAIS, HÉHOO ! ÇA ME DONNE UNE IDÉE ! DIRIGE UN PEU LA LUMIÈRE PAR LÀ...

C'EST QUOI, TON IDÉE, DIS, LAGAFFE ?

UNE FARCE, OÂH ! À TOUT PÉTER !!! ÉCOUTE !... SI TU PEUX AMENER UN TUYAU JUSQU'ICI !... ET ALORS, IL VA LAISSER POUR !... À CE MOMENT, ET ZOU !... !...

MARRANT ! JE MARCHE...

AH ! LE VOILÀ QUI PASSE POUR LÉCHER SES SUCETTES À SOUS...

GNIIHIHIHI !... STATIONNEMENT ILLICITE DEPUIS PLUS D'UNE DEMI-HEURE !

...QUAND JE TE FAIS SIGNE, MANU... TU ES PRÊT ? 1... 2...

PCHIIIII !

BRAVO, LONGTARIN ! ÇA, C'EST UN EXPLOIT !... SURTOUT PAR LE TEMPS QUI COURT...

SNIF... MAIS C'EST DE L'EAU !! MOI QUI CROYAIS QUE VOUS AVIEZ TROUVÉ DU PÉTROLE !... DÉCEPTION !...

HO ! MANU ! FERME CETTE VANNE, MA VOITURE VA ÊTRE TREMPÉE !...

HOOPS !... EUH, HÉHÉ... UNE PETITE FARCE... ...! FAUDRAIT VOUS FAIRE SÉCHER UN PEU...

INUTILE, J'ÉVAPORE...

PSCHIIIIIIIII

852

8

...JE SAIS, JE SAIS, MAIS UN JOUR VOUS DIREZ : "MERCI, CHER GASTON LAGAFFE ! RIEN QU'EN MODIFIANT LE RÉGLAGE DU SYSTÈME ANTI-INCENDIE, VOUS AVEZ SAUVÉ NOS P'TITS POUMONS DES RAVAGES DE L'AFFREUX TABAC !"

IDÉE: SABINE PLEERS

MOI, J'OUVRE TOUJOURS L'ŒIL, MOI...

AH! BON?

... CE QUI M'A PERMIS D'ENTENDRE UN AVERTISSEUR **PAS DU TOUT RÉGLEMENTAIRE** ...

ALORS JE TENDS L'OREILLE, ET QU'EST-CE QUE JE VOIS? **VOUS!!** C'EST PAS UNE DRÔLE DE COÏNCIDENCE, ÇA, HEIN?... QUOI?!... NON?

BIN! C'EST UN COPAIN QUI M'A PASSE SA MOTO POUR L'ARRANGER... ET HONNÊTEMENT, JE CROIS QUE JE N'AI PAS ENCORE ESSAYÉ LE KLAXON...

HÉ BIN! ON VA L'ÉCOUTER UN COUP, HMM!... POUR VOIR...

PÎP

HHMPH! PFOUAIS...PIP GRRMMMMBLL PFFOUHGROMBL TOUT JUSTE RÉGLE- MENTAIRE GRRMBL ATTENDS GRRMHPBL PROCHAINE FOIS HHOMHBLLGREM

TARRITARATÂTÂA

NON! NE FAITES PAS ÇA !

POF

MAIS! ON NE BÊCHE PAS AVEC UN...

GRR

ATTENTION! L'APPAREIL VA SE BRISER EN TOMBANT!

LA PAIX! 'SAVEZ PAS QUE LE LANCEMENT DU PARCMÈTRE VIENT D'ÊTRE RECONNU COMME SPORT OLYMPIQUE?

...OUAIS, NOUS LES UTILISONS DANS NOS BAZOOKAS... ON A DÉCOUVERT QU'AUCUN BLINDAGE NE RÉSISTE À CES SALES TRUCS! HA! HA!

BOULEVARD 6 LAGAFFE

NE... AÏEAÏEAAÏE! 'FAUT AU MOINS QUE JE SAUVE CELUI-CI!

MAIS! MAIS!? VOUS PLACEZ CE PARCMÈTRE SOUS UNE PRESSE HYDRAULIQUE ?!?! SI

VOUS ÊTES TOUS FOUS!! ¡ATENCIÓN!

POMP

¡MIRA! LA GRANDE POÊLE À PAELLA! À MOI ME SOUFFIT PARA TODA LA FAMILIA, NO ?!

BRAVO! À POÊLES TOUS LES PARCMÈTRES!

861A

SUITE

HELLO ! LONGTARIN ! LES AFFAIRES MARCHENT ?

KLIK

TRRRIIK

?

DING
TRIKELIK
KELING
CLING
KELING
TINK
TINK

GAGNÉ !

YOUPIIIE ! SI L'USAGER A UNE PETITE CHANCE DE GAGNER, LUI AUSSI, ILS SONT DÉJÀ UN PEU MOINS ABOMINABLES, CES BIDULES !...

...'FAUT ÊTRE PRUDENT, QUAND ON LUI FAIT DES FARCES... TU SAIS COMME SON MÉTIER LUI TIENT AU CŒUR...

856

ALORS, QUOI ??

LAGAFFE LAGAAFFE !

JE LE SAVAIS BIEN, MOI, QU'IL AURAIT DES ENNUIS DANS LE SIPHON...

'FAUT PAS VOULOIR FAIRE...

...DEUX CHOSES À LA FOIS... LA SPÉLÉOLOGIE ET LA MUSIQUE PAR EXEMPLE !!

HÉ ! HO ! IL NE BOUGE PAS D'UN POIL...! L'EST DRÔLEMENT COINCÉ !...

JE LE LUI AVAIS DIT !

C'EST QU'IL VA RESTER DEDANS, LE...

LAGAFFE, LÂCHE LE BIDULE, SI C'EST ÇA QUI CALE... TIRE !

GLOP
GARRGLL

ÇA, CE SONT DES TRUCS À SE RETROUVER SIX PIEDS SOUS TERRE !

C'É...C'ÉTAIT UNE... UNE EXPÉRIENCE...JE VOULAIS SAVOIR CE QUE DONNERAIT LE SON D'UN TROMBONE DANS LA GRANDE SALLE DES... STALACTITES...

SAUVÉS, LES STALACTITES...

836

C'EST VRAI, ELLE EST LÉGÈRE COMME UNE PLUME...

POLYSTYRÈNE EXPANSE SUR ARMATURE DE BALSA.

ÇA TIENT BIEN... AH, JE SUIS SÛR QU'ILS VONT AIMER MON IDÉE...

FAIS GAFFE! POUR LE PLAFOND, C'EST TOUT JUSTE...

AÏE! QUEL EST LE NOUVEAU MONSTRE ?!

JE VAIS À LA MANIF CONTRE LES ARMEMENTS... TU VOIS, CECI EXPRIME TOUTE LA MENACE QUE CES STUPIDES ENGINS FONT PESER SUR CHACUN...

UNE "MANIF"!!? ET POUR LA PAIX!... L'ENDROIT IDÉAL POUR RAMASSER DES COUPS!

PACIFISTE BÊLANT!

HO! LAGAFFE! PAS PAR L'ASCENSEUR... PRENEZ L'ESCALIER! HA! HAÂH!

NON! GASTON, N'ESSAYE PAS D'ENTRER DANS LA VOITURE! FAUT Y ALLER À PIED...

SURTOUT, NE DITES PAS QUE VOUS TRAVAILLEZ AU JOURNAL...

...C'EST VRAI! FAUT PENSER QUE NOUS SOMMES LUS AUSSI PAR DES MILITAIRES...

...ET QUE DIRAIENT TOUS LES JEUNES DONT LES PARENTS TRAVAILLENT DANS L'ARMEMENT ?!

HOLÀ! C'EST LA TEMPÊTE...

TIENS! VOILÀ LAGAFFE!... DÉJÀ FINIE, CETTE MANIF, GASTON ?!

BOÔÔPFFOUUH! AU DÉBUT, ELLE LEUR PLAISAIT, MA BOMBE... MAIS DEPUIS QUE LE VENT S'EST LEVÉ, ILS DISENT QU'ELLE A UN AIR PLUTÔT AGRESSIF...

...S'IL Y A UNE CHOSE QUE JE NE SUPPORTE PAS, C'EST UNE GROSSE MOUCHE BLEUE QUI VOLE COMME UNE DINGUE EN FAISANT BZZZ...

RROGNN TUDJJUU...

PLAF

EN PLEIN VOL!

AÏEAÏEAÏE! JE L'AI PERDU DE VUE!... PRUNELLE, DIS!...?

...TU NE L'AS PAS APERÇU?... AHLÀLÀÀ! S'IL EST ABÎMÉ, J'EN FERAI UNE MALADIE!... UN PETIT CHEF-D'ŒUVRE QUI M'A DEMANDÉ UNE PATIENCE!!!

?

...PENSE UN PEU: L'AVION RADIOGUIDÉ LE PLUS MINIATURISÉ AU MONDE!

830

Franquin

AH! MONSIEUR L'AGENT, BONJOUR... PEUT-ÊTRE VOUDREZ-VOUS BIEN DÉBROUILLER CE QUI, POUR MOI, EST UN PETIT MYSTÈRE?...

HÉ! BIEN, COMME TOUS LES MATINS, JE GARE MA VOITURE AU PREMIER PARCMÈTRE DERRIÈRE CE COIN... JE REMARQUE TOUT D'ABORD QUE L'APPAREIL EST D'UN MODÈLE NOUVEAU...

NÉGATIF!

AAAH! VOUS M'ÉTONNEZ FORT...

AUCUN APPAREIL N'A ÉTÉ REMPLACÉ RÉCEMMENT DE CE CÔTÉ... EN AVANT! NOUS ALLONS CONSTATER DE VISU QUE VOUS VOUS ÊTES FOURRÉ LE DOIGT DANS L'ŒIL.

...BREF, J'INTRODUIS LA SOMME HABITUELLE ET, ME CONFORMANT AUX INSTRUCTIONS ÉCRITES, JE TOURNE LA POIGNÉE...

NÉGATIF! LES PARCMÈTRES DU SECTEUR NE SONT PAS MUNIS D'UNE POIGNÉE!

BON! IGNORANT DONC QUE CETTE POIGNÉE N'EXISTE PAS, JE LA TOURNE ET QU'EST-CE QUI ME TOMBE DANS LA MAIN?

...TROIS BOULES DE BUBBLE-GUM! UNE JAUNE, UNE VERTE ET UNE BLEUE! VOYEZ VOUS-MÊME...

JE VOIS... SNIF

SNIFF ET JE COMPRENDS...

858

UN GARDIEN DE LA PAIX PEUT-IL TENIR LE COUP DANS UNE GUERRE DES PARCMÈTRES?

Franquin

17

PRUNELLE, ATTENDS ! JE VAIS TE MONTRER LA PREMIÈRE LAMPE DE POCHE À ÉNERGIE SOLAIRE !...

...IL NE ME RESTE PLUS QU'UN TOUT PETIT PROBLÈME À RÉSOUDRE : ELLE NE FONCTIONNE QU'EN PLEIN SOLEIL ...

AU BOULOT, SÉRIEUX, ROGNTUDJÉU !

'FERIEZ MIEUX D'ESSAYER DE COMPRENDRE COMMENT ON UTILISE LE NOUVEAU MATÉRIEL D'INFORMATIQUE ...

...ÉTANT DONNÉ VOTRE QUOTIENT INTELLECTUEL, 'Y AURA DU TRAVAIL !

AH ! AUJOURD'HUI, NOUS PASSONS À L'INFORMATIQUE ...

BIN ...EUH... TU SAIS, ON A DÉJÀ FAIT QUELQUES ESSAIS ... INTÉRESSANTS ...

...C'EST LE PROGRAMME LE PLUS SIMPLE ...

PINK

C'EST VRAI ...

...ILS TRAVAILLENT !

14 À 12 !

15 ! HIHIHI ! JE T'AI EU LAGAFFE !

TONK TONK

PINK TONK

APRÈS ÇA, JE PROGRAMME LA COURSE DANS LES LABYRINTHES ET LA GUERRE DES ÉTOILES ... OAH !

868

Franquin 80

NON ?!

TIENS ! LONGTARIN, J'AI UNE OREILLE QUI A SIFFLÉ... OU BIEN IL Y AVAIT UNE BOUILLOIRE DANS LES ENVIRONS... À MOINS... CE N'ÉTAIT PAS VOUS, NON ?

TRRRRiiiiiiiii

DJIiiiiiiii

SCRAIiiii

SISISI ! C'EST MOI QUI SIFFLAIS... D'ADMIRATION ! QUEL SUPERBE BIDULE !... **C'EST QUOI ?**

AH ! JE RODE LE PROTOTYPE DE LA VOITURE D'ÉTÉ DE DEMAIN... MOTEUR ÉLECTRIQUE SILENCIEUX, NON POLLUANT, BOITE À UNE SEULE VITESSE, BAPTISÉE "PROMENADE",

...ET TOUT ÇA, RIGOUREUSEMENT **RÉGLEMENTAIRE**, JE SUPPOSE, HEIN ?!

...OUAISOUAIS... ET FINI DE JOUER AUX BOLIDES... ON PREND SON TEMPS... CALME ET CONFORT MOELLEUX... UN EMBOUTEILLAGE ? BOF ! UN PETIT SOMME...

HÉÉÉÉÉBIN ! VOUS ALLEZ POUVOIR DORMIR SUR LES DEUX OREILLES PENDANT QUE JE JETTE UN ŒIL...

POUR MOI, POUVEZ TOUT JETER...

LE TRIANGLE ET LA TROUSSE DE SECOURS SONT DANS LE COFFRE...

...ÉCLAIRAGE DE LA PLAQUE ARRIÈRE...

VOILÀ CHEF !

CROYEZ-MOI, FAUT DÉCRISPER L'AUTOMOBILE, LONGTARIN...

GRRMHBLGRBL GRRMDJUUEU

JE ME TUE À VOUS LE DIRE : CE VÉHICULE...

CE **VÉHICULE !!**

CE VÉHICULE A ÉTÉ HO-MO-LO-GUÉ...

CIRCULEZ... ET VITE ! CE N'EST PAS UN PARKING, ICI...

...ET JE PRÉPARE UN MODÈLE POUR L'HIVER... CONDUITE INTÉRIEURE, À PARTIR D'UN LIT BRETON...

DJIiiiiiiii

AH ! M'OISELLE JEANNE ! UNE SURPRISE : VOICI MA NOUVELLE VOITURE D'ÉTÉ...

AAAH ! C'EST UN RÊÊÊÊVE, MONSIEUR GASTON !

JE VOUS RECONDUIS ?...

JE... JE NE SAIS PAS SI JE DOIS ACCEPTER, MONSIEUR GASTON...

864

Franquin

EN SIMPLIFIANT SA SIGNATURE, L'AUTEUR ESPÈRE QUE L'ÉCONOMIE D'ENCRE DE CHINE AINSI RÉALISÉE COMPENSERA, DANS UNE CERTAINE MESURE, LE GASPILLAGE DE PAPIER QUI VOUS EST CONTÉ DANS CETTE PLANCHE

...C'ÉTAIT TROP SIMPLE, LE PORTEMANTEAU ?!/ ON ENTRAIT ET D'UN GESTE, FLAP! ON ACCROCHAIT SES FRINGUES...

HÉBIN.! À PRÉSENT ON UTILISE DES CINTRES !

GRRRMHMBLLL! TOUT ÇA, C'EST DU PRÉCIEUX TEMPS PERDU POUR LE TRAVAIL !

WOUAH.! POUR LE TRAVAIL QU'I'DIT !/!...SOYONS SÉRIEUX: CHAQUE MATIN VOUS VOUS RENDORMIREZ QUELQUES SECONDES PLUS TARD...

JAMAIS PU SUPPORTER CES SALES TRUCS...SURTOUT CEUX EN PLASTIQUE...ÇA GLISSE HRGNNN...

HÉ!

CRICK

C'EST PAAAS VRAI ?!/! IL ME LE CASSE !/!! CE PRIMITIF N'EST MÊME PAS FOUTU DE SE SERVIR D'UN CINTRE !/!

PFFFOUHH.! QUELLE CAMELOTE !

RÂLE PAS, HÔÔÔ! J'EN PRENDS UN PLUS SOLIDE...

LE CROCHET!

KLAK

ET FAITES VOIR ! IL EST TOUT TORDU ! SABOTEUR.! C'EST VOULU.! ÇA, HEIN.!/?

AH.!NON. IL ÉTAIT DÉJA TORDU.!

RROGNTU...

DJUU! MMH.!

MAIS NE CROYEZ PAS, GASTON LAGAFFE, QUE VOUS EN SEREZ QUITTE À SI BON C...

SMAP

OÂH.! DIS! TU VIENS DE RENOUVELER UN DES PLUS VIEUX GAGS DU MONDE

873

Franquin est fou!

CETTE SEMAINE-LÀ, DE PETITS DOIGTS DE FÉE S'AGITENT PENDANT DES HEURES...

MONSIEUR GASTOOONNN, IL Y A UNE SURPRIIISE !

OOH ! QU'IL EST BEAU, M'OISELLE JEANNE ! C'EST VOUS QUI L'AVEZ F... EUH... MAIS... L'I... L'INITIALE ?

VOUS VOUS ÊTES TROMPÉE... CE PULL N'EST PAS POUR MOI...

AH ! MAIS... IL FAUT QUE JE VOUS EXPLIQUE, MONSIEUR GASTON ...

CRRÂC

AH ! IL VOUS VA À RAVIIIIR !... ET PUIS JE SUIS SÛRE QUE ÇA RÉUSSIRA !...

STOP ! VOICI L'ENDROIT IDÉAL POUR UN ESSAI ! OH ! OUI, OH ! OUI !

PETIT PAF

...PLUS DE PARCMÈTRES, PLUS DE PARKINGS PAYANTS... HÉBIN ! DITES DONC, M'OISELLE JEANNE, !...

VOUS VERREZ, MONSIEUR GASTON : LES FEMMES VOUS ÉTONNERONT DE PLUS EN PLUS ...

SNIFF... SNIFSNIF...

GAGNÉ ! J'AI LOCALISÉ LE TACOT À L'ODEUR ... UN MÉLANGE D'ESSENCE QUI FUIT, D'HUILE BRÛLÉE, DE ROUILLE ET DE MOISI ...

DÉFENSE d'effacer les graffitti

QUAND ON A LE NEZ FIN, ÇA VOUS MET LA PUCE À L'OREILLE, ET ON OUVRE L'ŒIL ...

AÏE ! AÏE ! AAAÏE ! JE VAIS DEVOIR SÉVIR... IL N'A PLUS DROIT QU'À UNE OU DEUX MINUTES, IL N'EST PAS EN VUE ...

...ET EN DEUX MINUTES, IL LUI EST IMPOSSIBLE D'ARRIVER JUSQU'ICI... BANZAÏ ! COMME DISENT LES SIOUX !*

* DANS LES FILMS DE CAPE ET D'ÉPÉE ...

TRRRAÏÏÏÏÏIINS

...AH ! OUI, C'EST LE MOMENT DE ...

HÉHÉ ! ENCORE QUELQUES SECONDES ET LA JOLIE PETITE PLAQUE ROUGE VA SURGIR ! ATTENNTIONNN 4... 3... 2...

HOLÀ ! IL ÉTAIT MOINS UNE !

CLIC

TCHIC CLAC TRRRIK

HUUH ??

IL A DROIT À DEUX HEURES !... GRATUITES !... CET APPAREIL EST DÉTRAQUÉ... ET MOI-MÊME, JE ME SENS UN PEU PATRAQUE ...

HÉOUI ! FAUDRA S'HABITUER : NOUS SOMMES ENTRÉS DANS L'ÈRE DE LA TÉLÉCOMMANDE, MON VIEUX...

B74

Franquin

...N'EN CASSE PAS TROP, FAUT PAS QU'ON VOIE...

ET PUIS ÇA FAIT DU BRUIT, HÉ !...

'T'EN FAIS PAS, LABEVUE FAIT LE GUET...

CLANK

CLANK

QUELLE CRASSE, SOUS LE BITUME ! 'PAS ÉTONNANT QU'IL NE POUSSE QUE DES PARCMÈTRES, ICI...

CREUSE ! LE SPÉCIALISTE M'A DONNÉ UN MÉLANGE À LUI ! IL GARANTIT UN RÉSULTAT ULTRARAPIDE !

GROUILLEGROUILLE, LAGAFFE !

HÔHÔÔÔ ! 'S'AGIT DE FIGNOLER POUR QU'ON CROIE QU'IL EST VENU LÀ NATURELLEMENT...

LA NUIT SUIVANTE

OAÂH ! IL EST DÉJÀ VIGOUREUX ! JE LUI AI MIS ENCORE DE LA CROTTE DE CHÈVRE... C'EST EXCELLENT !

IL EST GÂTÉ, DIS-DONC !

ON A LA MAIN VERTE, LES GARS !

OUI ! DEMAIN MATIN IL SERA MAGNIFIQUE !

MUMBBLL ?!

MEUQU'EUSQU'EU C'EUQU'GÂÂ ?! UN PARASITE, AU CŒUR DE LA CIVILISATION, HEIN ?!

'MEUATTENDS ! 'M'EN VAIS RENDRE CE BEL APPAREIL À SA MISSION, MOI, VITE FAIT !

HEP !

HUM

HÔ

LE LIERRE, C'EST COMME L'AMOUR : "JE MEURS OÙ JE M'ATTACHE" !

ON ASSASSINE LES ESPACES VERTS

OXYGÈN

COUPONS LE SIFFLET À ATTILA

ES PLANTES SONT VIVANTE

CIRCUL...EUH
OUSTE!
BRRRROUH!

'Z'AVEZ C'QU'I'FAUT?

EUH, OUI... JE CROIS... OUI.

MONTREZ VOIR. MÉLANGE SPÉCIAL, EXTRA...VITE DIT...! AH!/COMPOSITION! MMMHM MMHH MOUAIS.

C'EST LA MEILLEURE QUALITÉ...

CONFORME. 'POUVEZ ALLER AU PARCMÈTRE.

EUH...DITES-MOI, POUR UNE HEURE, C'EST COMBIEN? J'AI OUBLIÉ.

COMBIEN DE FOIS DEVRAI-JE LE RÉPÉTER: UNE BONNE PINCÉE À CHACUN, POUR UN QUART D'HEURE!

VOYONS... IL EST DIX SEPT HEURES DOUZE...UNE HEURE... NUMÉRO DE LA VOITURE...

HOO!HÉ!C'EST BIEN LE MÉLANGE POUR GRIVES?

OUIOUI!...LAISSEZ-MOI COMPTER....QUATRE, CINQ...

ET NE SOYEZ PAS CHICHE...

DITES, 'SAIS PAS C'QUE J'AI: JE TROUVE LONGTARIN SYMPA AUJOURD'HUI !!!

SAVEZ QUOI? ON VA L'AIDER À VEILLER SUR SON PARCMÈTRE !

871

Franquin

...TROIS MINUTES À JOUER... IL Y A DE L'ÉLECTRICITÉ DANS L'AIR ! TOUTE L'ÉQUIPE APPUIE SUR L'ACCÉLÉRATEUR POUR TENTER DE RENVERSER LA VAPEUR...

...AVEC L'ADAGIO SE TERMINAIT LA SYMPHONIE NUMÉRO NEUF EN *SNIF* EN RÉ, DE GUSTAV MAHLER *SNIF* PAR LE COLUMBIA SYMPHONY ORCHESTRAAÂH

...LA FEMME TRONC QUI EST SI BONNE, EH ! MAMAN, QUE M'IMPORTENT LES TRONCS BONNES, JE VEUX JOUER DE L'HÉLICON !

L BOBY LAPOINTE ...

RROOOH ROOH PFFRRRLLFLP PFFRRRLLFLP

DE MON TEMPS, LES GENS ÉTAIENT DES EXEMPLES POUR LES JEUNES ...

866

Franquin

DES INSOMNIES, TOI ?!!

HÉ ! OUI... NOTE, ÇA NE M'ARRIVE JAMAIS AU BUREAU, HEUREUSEMENT !... NON, C'EST LA NUIT, QUAND JE SUIS COUCHÉ ...

BAH ! JE NE SAIS PAS, MOI... ESSAYE LE BON VIEUX TRUC : COMPTE DES MOUTONS QUI SAUTENT UNE BARRIÈRE ...

PFFOUH ! IL FAUDRAIT RENOUVELER CE CLICHÉ, NON ?

FUMEZ FUH CREVEZ

LE SOIR MÊME IL L'A RENOUVELÉ ...

HIHIHI ! HI...ZZZ

ZZZ

IDÉE : PHILIPPE BRAÎBANT

Franquin

31

M'SIEUR !... HO !... M'SIEUR L'AGENT...

DITES... EUH, À VOTRE PLACE, JE ME MÉFIERAIS...

QUELQUE CHOSE À SIGNALER, QUOI ?

HÉBIN... C'EST CETTE VOITURE... J'EN AI APPRIS DE DRÔLES SUR SON PASSÉ ! IL Y A LONGTEMPS, ELLE APPARTENAIT À UN REBOUTEUX DE VILLAGE QUE LES GENS APPELAIENT LE SORCIER... ON EN AVAIT UNE PEUR BLEUE : IL JETAIT DES SORTS, IL PARAÎT !...

SA MORT FUT MYSTÉRIEUSE... MAIS DEPUIS, CERTAINS JURENT AVOIR VU SA VOITURE ROULER SEULE, FEUX ÉTEINTS, PAR LES NUITS SANS LUNE, ET MÊME TRAVERSER DES ÉTANGS SANS ENFONCER DANS L'EAU ! SURTOUT, ON DIT QUE CE TACOT DE MÉCRÉANT CHERCHE PARFOIS À ÉCRASER UN PORTEUR D'UNIFORME...

...BREF, IL EST POSSIBLE QUE VOUS AYEZ SOUS LES YEUX LA PREMIÈRE AUTO **HANTÉE !**

...D'AILLEURS, C'EST ÉTRANGE, ELLE A COMME UN REGARD... OH ! OUIOUI, J'EN SUIS SÛR ! ELLE... **ELLE VOUS SUIT DES PHARES**

MWOUAIS ! ENCORE UN DE VOS "GAGS" HMM !...

...LES PHARES, C'EST UNE ILLUSION D'OPTIQUE... JE VOIS : ON RACONTE DES SORNETTES...

...POUR QUE LE PETIT COPAIN ÉCHAPPE À LA CONTREDANSE... DÉSOLÉ, IL DANSERA

PCHHIIIIIIII AÏE

HOOUU ! CHHHAUD !! TUDJIUU PFFFF

PFFF !

DJÎUU ! HOOUU ! PFFFF...

C'EST PAS SORCIER ! LA PREUVE : J'AI COMPRIS... IL DOIT Y AVOIR **UN CHAUFFEUR** CACHÉ DERRIÈRE LE VOLANT.

KRITCHIIIIIIII

SUITE

VOUS VOYEZ ! CET INDIVIDU COMMANDAIT À LA FOUDRE ... ÇA SENT LE SOUFRE !

ÇA SENT LE GADGET, OUI ! MAIS D'ACCORD, JE JOUE LE JEU !...

... MOI AUSSI, JE LANCE DES SORTS ! MA MAGIE, À MOI, C'EST LE RÈGLEMENT ! ET J'AI L'ŒIL !... LE MAUVAIS ŒIL ! GRRMMUM ...

MAISMAIS ? LA PLACE DE CE FEU DE POSITION ! ET IL N'Y EN A QU'UN ! LE STOP, IDEM ! INDICATEURS DE DIRECTION ? SCHNOL ! LES FEUX D'ENCOMBREMENT ? PAREIL ! LES CATADIOPTRES ? ITOU ! ET LE "BROUILLARD" ? JE ME MARRE !

HÉ ! DITES AU FANTÔME MOISI QU'IL DEVRAIT HANTER UN NOUVEAU MODÈLE... CECI, C'EST HANTER...DILUVIEN WAHF ! ET PUIS SA GUIMBARDE VA RENDRE LE DERNIER SOUPIR ...

HIHIHI HIHIHI !

POF

NONMAISNON ! JE DISAIS TOUT ÇA POUR RIIIRE ! JURÉ !

FCHHHHHH

PSSSJIIII ! RRREUHHH !

VROM !

MALHEUR ! LONGTARIN VOUS AVEZ RENDU FURIEUX LE MONSTRE QUI HABITE LA MALÉFIQUE FERRAILLE ! IL VEUT VOUS ÉCRABOUILLER, VOUS GRILLER ...

"...VOUS EMPOISONNER, VOUS SUFFOQUER, VOUS ...

OH ! DIS DONC ! T'AS VU LE DRÔLE DE P'TIT HOMME VERT !!

ALLEZ, LES VERTS !

IL A FINI PAR CRAQUER... JE LE SAVAIS : TOUS LES SIMPLETS SONT SUPERSTITIEUX ...

HIHI ! IL NE M'A PAS VU ! MOI, JE L'OBSERVAIS PAR LES TROUS DE ROUILLE DE LA CARROSSERIE...

BON ! DORÉNAVANT, TU SERAS TRANQUILLE : D'AUSSI LOIN QU'IL VERRA TA VOITURE, IL FERA UN DÉTOUR...

DIS, HÉ ! MERCI POUR LE MONSTRE ...

OH ! IL A UN ŒIL DANS SON Q !!

879 B

Franquin

HÍÍÍÍ ! QU'IL EST JOLÍÍÍÍ , TOUT ROSE , AVEC SA PETITE BOULÉ EN L'AIR !

...ET IL A EN MÉMOIRE TOUT LE PLAN DE L'ÉTAGE : S'IL TROUVE UNE ISSUE FERMÉE, IL CHOISIT UN ITINÉRAIRE DE RECHANGE...

...LA PREUVE ? IL VA SORTIR, FAIRE TOUT LE TOUR DU SIXIÈME , ET REVENIR ICI, GENTIMENT, EN RENTRANT PAR CETTE PORTE

GÉÉÉNIAL !

...J'AI CALCULÉ...

...QU'IL METTRAIT, POUR RÉALISER L'EXPLOIT, SEPT MINUTES, AU PLUS, MÊME EN CAS D'INCIDENTS IMPRÉVISIBLES.

DESSINATEUR DE MAUVAISE HUMEUR PARCE QU'IL A RATÉ SON DESSIN.

GRRRMMMBLL

HÉ ! BIEN D'ACCORD ! ALLONS LES SIGNER...

IL VIENT À L'IMPROVISTE ET *CA MARCHE* COMME SUR DES ROULETTES !

BOUF

ON AURA **TOUT INVENTÉ, ICI,** POUR FAIRE **CAPOTER** CETTE AFFAIRE !

ENCORE UN ROGNTUDJU DE BIDULE À LAGAFFE ! **HUMPH !**

MONSIEUR GASTON ! L'ADORABLE PETITE MACHINE EST DE RETOUR ! ET ELLE FAIT UNE DERNIÈRE LIGNE DROITE TERRIBLE, AU SPRINT, POUR RÉALISER UN BON TEMPS !

RÂÂÂHH ! ÇA M'EXASPÈRE ! HHIGNNH...

C'EST **QUOI ?**

ÇA ? UN PUR PRODUIT DES ATELIERS LAGAFFE ! L'ANDOUILLE CROIT AVOIR MIS AU POINT **LE MOUVEMENT PERPÉTUEL !!**

EN TOUT CAS, CET APPAREIL EST AMUSANT...

AH ! OUI ?! ? ON VOIT BIEN QUE VOUS NE RENCONTREZ PAS LE BIDULE SAUTILLANT PARTOUT DANS VOS BUREAUX, **TOUS LES JOURS, DEPUIS SIX MOIS !**

DOÏNK DOÏNK

JULES ! WOÂH ! JE VIENS D'INSTALLER MON ANTENNE, UNE OCCASION, MAIS HOO ! IMPECCABLE. ET QUAND J'AURAI DE NOUVEAU DES ÉCONOMIES, J'ACHÈTERAI UNE AUTO-RADIO...

...JE CONNAIS UN CASSEUR...

...MOI, JE TROUVE QUE ÇA DONNE À TOUTE LA VOITURE UN CHIC, UNE ALLURE... MODERNE, QUOI...

AH ! OUAIS, C'EST VACHEMENT DISTINGUÉ ! HHMMAIS...

LE TEMPS CHANGE, JE LA RENTRE. 'FAUDRAIT PAS QU'ELLE ROUILLE.

DIS...TU NE CROIS PAS QUE...

TIENS ! C'EST DUR DANS LE BAS. POURTANT, J'AI MIS UN PEU D'HUILE...

HGNNIIHI !

EUH... ATTENDS, RÉFLÉCHISSONS...

PFFOUH...

HHUMMUÛHH !

RRÂH

JE CROIS QU'IL VAUDRAIT MIEUX NE...

NON ! NE POUSSE PAS, LAGAFFE !

HHUNGGNUMPF

TOK **PFFUFFUIII**

M'ENFIN !?

 ÂÂEUH...ÉCOUTEZ, JE VAIS VOUS EXPLI... OUI...OUIOUI...OUI AUJOURD'HUI MÊME !... MAIS JE VOUS ASSURE, J'AI DONNÉ L'ORDRE... IL Y A ...OUI ...HUIT JOURS.. OUI...HUIT...HÉ...'NON...

MAIS ! C'EST UNE FAÇON DE FAIRE, ÇA ?!/QUOI ?! ILS S'IMAGINENT QUE C'EST EN ENGUEULANT LES GENS QU'ON FAIT AVANCER LE TRAVAIL ?!

GASTON LAGAAAFFE, LE PAQUET

HÉ ! HOOO ! BAISSE LE SON... LE VOICI ... IMPECCABLE : MAIS JE NE TROUVE PAS LA BANDE COLLANTE, TU SAIS, LA LARGE...

DÉBROUILLEZ-VOUS !

IL N'Y A PAS D'ORDRE, ICI ! LE TEMPS QU'ON PERD À COURIR APRÈS UN ROULEAU DE

BANDE ADHÉSIVE, C'EST FOU ...

... SI TU LA RETROUVES, TU T'EN COLLES UN GRAND MORCEAU D'UNE OREILLE À L'AUTRE ... ÇA T'AIDERA À TE TAIRE PENDANT QUE JE TRAVAILLE ...

C'EST PAS MON JOUR !

LE MATÉRIEL EN BALADE, C'EST LA PLAIE DES BUREAUX, ET C'EST FATIGANT... J'EN AI PLEIN LES PATTES...

JE...JE TIENS UN COUP DE POMPE... PFFFLAAH !'... 'PEUX PLUS METTRE UN PIED DEVANT L'AUTRE ...

...ÇA M'INQUIÈTE...PARFOIS, C'EST AVANT UNE GRIPPE QUE... ÇA VOUS PREND AUX JAMBES... TOUT À COUP...

...PFWOUH.'JE CROIS QUE JE TRIMBALE UN AFFREUX MICROBE QUI VA M'EN FAIRE BAVER...

...HÉ! HÉ! IL CHERCHE UNE PLACE GRATUITE ET SANS RISQUE... 'TROUVERA PAS: C'EST ÉTUDIÉ POUR.

ROOROOROO

...IL EST REMONTÉ... IL Y VA! IL Y VA! IL S'ARRÊTE... LÀÀÀÀ!... IL DESCEND... ILS'EN VA... IL N'A RIEN VU!

KRAAKRAAKRA

'SUFFIT D'ATTENDRE... DANS LA VIE, LE BONHEUR, C'EST AIMER SON MÉTIER!

ZUT! SUPERZUT! JE LE CROYAIS OCCUPÉ À BRIQUER SES CHERS PARCMÈTRES...

'CONTENT DE CONSTATER, QU'IL VOUS PLAÎT, MON SIGNAL; C'EST LA CINQUIÈME FOIS QUE JE VOUS PINCE ICI!

LÀ, LÀ, LÀ ALORS?! 'COMPRENDS PAS!

VITE, TROUVER QUELQUE CHOSE ...!

J'EN TOMBE SUR LE DERRIÈRE!

AH! HOO! OÙ AVAIS JE LA TÊTE?! MAIS OUIII!

TAP

C'EST LE FREIN À MAIN QUI A LÂCHÉ! JE M'ÉTAIS GARE DANS LE PARKING DU SUPER PRIMOU GÉANT...VOUS LE VOYEZ D'ICI...

TOUT AU BAS DE LA RUE... BINTIENS! LE TACOT S'EST LAISSÉ GLISSER ET IL A GRIMPÉ LA CÔTE ...!

LA CÔTE, LA CÔTE... HÔ! C'EST PAS LE TOURMALET ...!

ET PUIS, HÉ! LA VOITURE A DÛ SE DÉPLACER PAR AUTOALLUMAGE! VOILÀ: MES BOUGIES SONT TROP CHAUDES...ÇA FAIT... GONFLER LES SOUPAPES ...!

ET EUH...

HOO! HOO! STOP! C'EST À MON TOUR. PARCE QUE MOI AUSSI J'INVENTE. ET IL Y A UNE SURPRIIIISE!

...UN MODÈLE UNIQUE! CONÇU TOUT EXPRÈS POUR VOUS, PUISQUE VOUS AIMEZ L'ENDROIT...

M'ENFIN?!!

POURVU QUE ÇA RESTE LOCALISÉ, LA GUERRE DES PARCMÈTRES!!

...VOUS AURIEZ PU Y METTRE DES SOUS, INGRAT!

C'EST ILLÉGAL!

DISONS QUE C'EST SPÉCIAL...

859

Franquin

MAIS, MONSIEUR GASTON, JE CROYAIS QUE VOUS N'AIMIEZ PAS DU TOUT CES APPAREILS...

C'EST VRAI, M'OISELLE JEANNE. MAIS QUAND J'AI VU CELUI-CI CHEZ LE FERRAILLEUR, IL M'EST VENU UNE IDÉE...

AH ! JE CROIS QUE J'AI LOCALISÉ UN PREMIER ADVERSAIRE...

UN ADVERSAIRE ?!

OUI C'EST ÇA !

REGARDEZ BIEN : CE NAVIRE EST UN CHASSEUR DE BALEINES.

MONSIEUR GASTON... VOUS N'ALLEZ PAS...??

JE VAIS GRIMPER POUR L'ATTAQUER EN PIQUÉ... TENEZ-VOUS BIEN !

MAIS LES MARINS FONT CE MÉTIER POUR GAGNER LEUR VIE...

MOI, JE SUIS ICI POUR GAGNER LA VIE DES BALEINES !

...ILS SONT SANS DÉFENSE...

LES BALEINES SONT SANS DÉFENSE !

D'ABORD, UN PEU DE SPECTACLE POUR LES ATTIRER TOUS DE CE CÔTÉ DU BATEAU...

VOTRE MONNAIE TOMBE DE VOS POCHES, MONSIEUR GASTON...

C'EST QUOI, CET OISEAU-LÀ ?

UN VIEUX COUCOU...

C'EST UN FOU...

VIENS VOIR ÇA, KNUT ÇA, C'EST UN PIQUÉ...

HÉ ? ?! ?

OUAIS ! EN PLEINE POIRE QU'ILS L'ONT PRISE !

OH ! LES PAUVRES GENS !

NE CRAIGNEZ RIEN, M'OISELLE JEANNE : C'EST DE LA COLLE...

...UNE NOUVELLE SUPER-COLLE QUE J'AI MISE AU POINT... JE CHERCHE UNE COMPARAISON... OUI : C'EST ENCORE PLUS COLLANT QUE FRANQUIN AU TÉLÉPHONE !...

VOUS ÊTES GÉNIAAAL !

VOYEZ : ILS NE BOUGENT PLUS ...

VRRROOWR
VROP
P'TIT PAF

...COMME UN SEUL HOMME, ILS VIENNENT DE RENONCER À LA CHASSE À LA BALEINE...

AH ! J'AURAIS DÛ ME DOUTER QUE VOUS POUVIEZ TOUT FAIRE, MAIS PAS LA GUERRE ...

FILS DE ?

JE LANCERAI UN APPEL RADIO POUR QU'ON VIENNE LES TIRER DE LÀ ...

...QUAND LA SAISON DE CHASSE SERA PASSÉE... BON. J'AI ENCORE DES MUNITIONS, MOI...

ON VA LEUR COLLER ÇA EN PLEINE POIRE, MONSIEUR GASTON !

VRRROOOWRROO
PAF

SLOUCH

'ZELLE JEANNE, VÉRIFIEZ CEINTURE... ZATTAQUONS.

RRRRROOOWR VRROOORRR

VOUS AVEZ VU, DOCTEUR ? MAINTENANT, ALLONS AU CINQUIÈME ...

RRÔH ! MONSIEUR GASTONNN ! QUELLE AUDACE ! QUELLE FOUGUE !...!!!!!!!! J'AI LE VERTIIIIGE !...

FANTASTIQUE, NON ?! D'UN ÉTAGE À L'AUTRE, ILS PARVIENNENT À SE REJOINDRE DANS LE MÊME RÊVE !!!

VOUS CROYEZ ?

B 890

MÉFIEZ-VOUS, VOUS AUSSI : C'EST AUX CORPS GRAS QU'ILS S'EN PRENNENT...

Franquin

TIENS ! DANS LES MÉTIERS DU PÉTROLE, VOICI LE SEUL GARS QUI NE PEUT PAS AUGMENTER SES TARIFS !

! AHHUMPH!

IL EST VACHEMENT COSTAUD !... BRAVO !
L'ACIER, POUR LUI, C'EST COMME DU NOUGAT !

...JE SUIS CERTAIN D'AVOIR PRIS DES PIÈCES EN PARTANT... JE VAIS LES RETROUVER...
C'EST VRAI, QUE VOUS ÊTES COSTAUD !
CLING CLING

EUH... MAIS... MOI, JE CONNAIS UN TRUC... ÇA, LÀ ! JE CROIS QUE C'EST AU-DESSUS DE VOS FORCES...
AHOUAIS ? C'EST QUOI ?

BINVOILÀ : CHHLCHHOTAUERNURR TOUTBAS SUSSUERR
!

WAHHA HAHAÂÂ

TÔT LE MATIN
...C'EST ÇA ! IL EST IMPOSSIBLE D'INTRODUIRE LA PIÈCE À CAUSE DE LA POSITION DE L'APPAREIL, HM ? VOUS PRENEZ LES POUVOIRS PUBLICS POUR DES IMBÉCILES ?

SI UNE PIÈCE NE PÉNÈTRE PAS, C'EST QU'ELLE FAIT PREUVE DE MAUVAISE VOLONTÉ...

!?
AAHH! OH! NON! NON ?!
VOICI UNE PIÈCE, MONTREZ-MOI...
876

Franquin

VOILÀ: AVEC LE STEAK À CHEVAL, JE T'AI MITONNÉ MA CHOUCROUTE À LA FRAMBOISE ET BEURRE D'ANCHOIS! TU AS UN BON COUP DE FOURCHETTE, NON?

MOI? J'AI UN APPETIT D'OISEAU...

ET JE NE SAIS PAS SI TU LE SAIS, LES OISEAUX BÂFRENT COMME C'EST PAS POSSIBLE!

MERCI. SCHLIRCL, ON Y VA.

MANGE VITE!

HÉHO??

HHHHIÂÂRH

NON MAIS T'AS VU ÇA?

GNARF GNARF GNARF

LE CHAT AUSSI!!! C'EST DINGUE!!

TCHAP TCHAP TCHAP

JE COMPRENDS POURQUOI TU RESTES MINCE, TOI! VIVEMENT QUELQUES BONS HAMBURGERS...

BÔÔH! QUAND JE SUIS RAPIDE ET ATTENTIF, J'ARRIVE PARFOIS À FAIRE UN REPAS PRESQUE NORMAL...

892

ET ALORS? CES DOSSIERS POUR LA RÉUNION?... LAGAAFFE!

DOÏNK DOÏNK DOÏNK

'Z'ÊTES SOURD, OU QUO'!

!

CHHHUT! FAUDRA TE PASSER DE MOI: LE CHAT DORT SI BIEN, JE N'AI PAS LE CŒUR DE LE RÉVEILLER.

YÂÂRDEDJÛ

M'ENFIN

SI CHACUN ICI AVAIT UN CHAT SUR LES GENOUX, C'EST PAS SOUVENT QU'IL PARAÎTRAIT, LE JOURNAL...

SPLAF

HÉ! SI TOUS LES GÉNÉRAUX ET AMIRAUX DU MONDE, QUELLES QUE SOIENT LES COULEURS ET LES ÉTOILES, AVAIENT CHACUN UN CHAT SUR LES GENOUX, HÉBIN MOI, JE ME SENTIRAIS VACHEMENT MIEUX, MOI!

QUE VOULEZ-VOUS LUI RÉPONDRE QUAND IL A RAISON?

891

 AH! JE M'INSURGE! ICI, LA... FANTAISIE VA TROP LOIN! HALTE! VOS SORNETTES VONT FAUSSER L'ESPRIT DES JEUNES!

 QUELLE IDÉE VONT-ILS SE FAIRE DES DISTANCES QUI NOUS SÉPARENT DES PLANÈTES?!

 LA BARBE! ILS APPRENNENT ÇA À L'ÉCOLE!

MAIS...

'YA PAS DE MAIS! ICI, ON S'AMUSE À IMAGINER... ON RÊVE!

ET LAISSEZ-NOUS JOUER, MILLE MILLIARDS D'ANNÉES-LUMIÈRE!

 OÂH! CES PHOTOS DE VOYAGER-1! ÇA FAIT RÊVER...

 GRANDIOSE, MONSIEUR GASTON, VOTRE IDÉE DE PASSER CE WEEK-END SUR L'UNE DES LUNES DE SATURNE!

 AVEC VOUS, C'EST TOUJOURS LA FFFOLLE AVENTURE!

TOK

ZUT, CES CASQUES!... ET SI NOUS RENTRIONS AU MODULE?

 J'AI DES PROVISIONS ET UNE CUISINETTE, UNE BLANQUETTE DE LIMOUX AU FRAIS, DE LA MUSIQUE DOUCE ET JE VOUS MONTRERAI MON GRAND ALBUM DU "TROMBONE ILLUSTRÉ"!

VOUS ÊTES UN HOMME D'INTÉRIEUR, VOUS, MONSIEUR GASTON!

 ...LE SAS EST REFERMÉ. NOUS SOMMES CHEZ NOUS...

CETTE CABINE EST A-DO-RAABLE! C'EST FOU CE QUE VOUS ÊTES ADROIT DE VOS MAINS...

JE VOUS AIDE À VOUS DÉBARRASSER DE CE SCAPHANDRE?...UN PEU DE PATIENCE......VOI...LÀÀÀ. RESTE UNE FERMETURE ÉCLAIR...

AH?...EUH... ÊTES-VOUS CERTAIN QU'ELLE FASSE PARTIE DU SCAPH... HIII!!!

OH! EXCUSEZ-M...! JEANNE!

GASTOONN N...

 RGGNTUDJUU RRRGGNTUDJUU...

 MILLE MILLIARDS...

 DE ROGNTUDJUU

 DITES, VOUS DEUX, ON RÊVASSE!? ET ÇA, QUAND ALLEZ-VOUS VOUS Y METTRE??

882 A

TOURNEZ

Dans le tiers monde, il n'est pas rare qu'un enfant parcoure plusieurs kilomètres par jour pour aller chercher un peu d'eau souillée.

Cette eau contaminée a tué l'année passée treize millions six cent mille enfants.

Pour résoudre ce problème intolérable, l'UNICEF a mis au point des techniques simples. Désormais, pour qu'un être humain ait de l'eau saine toute sa vie, il n'en coûte que l'équivalent de trois dollars.

Pour mener à bien sa tâche,

a besoin de vous.

AGENT 212

Kox-Cauvin
1. 24 heures sur 24
2. Au nom de la loi

ARCHIE CASH

Malik-Brouyère
1. Le maître de l'épouvante
2. Le carnaval des zombies
3. Le déserteur de Toro-Toro
4. Un train d'enfer
5. Cibles pour Long-Thi
6. Où règnent les rats
7. Le démon aux cheveux d'ange

BENOIT BRISEFER

Peyo
1. Les taxis rouges
2. Madame Adolphine
3. Les douze travaux de Benoît Brisefer
4. Tonton Placide
5. Le cirque Bodoni
6. Lady d'Olphine
7. Le fétiche

BIDOUILLE ET VIOLETTE

Hislaire
1. Les premiers mots
2. Les jours sombres

BOBO

Deliège
1. Bobo prend l'air
2. Bobo prend la mer
3. Bobo comic's troupier
4. Un sac en cavale
5. Destination Lune

BOULE ET BILL

Roba
60 gags de Boule et Bill 1
60 gags de Boule et Bill 2
60 gags de Boule et Bill 3
60 gags de Boule et Bill 4
60 gags de Boule et Bill 5
60 gags de Boule et Bill 6
60 gags de Boule et Bill 7
8. Papa, maman, Boule et... moi
9. Une vie de chien
10. Attention, chien marrant !
11. Jeux de Bill
12. Ce coquin de cocker
13. Carnet de Bill
14. Ras le Bill !
15. Bill, nom d'un chien !
16. Souvenirs de famille
17. Tu te rappelles, Bill ?
18. Bill est maboul !
19. Globe-trotters

BOULOULOUM ET GUILIGUILI

Mazel-Cauvin
1. Le grand safari
2. Chasseur d'ivoire
3. Le trésor du Kawadji
4. S.O.S. jungle !
5. La saga des gorilles

BUCK DANNY

Charlier-Hubinon
1. Les Japs attaquent
2. Les mystères de Midway
3. La revanche des Fils du Ciel
4. Les Tigres volants
5. Dans les griffes du Dragon Noir
6. Attaque en Birmanie
7. Les trafiquants de la mer Rouge
8. Les pirates du désert
9. Les gangsters du pétrole
10. Pilotes d'essai
11. Ciel de Corée
12. Avions sans pilotes
13. Un avion n'est pas rentré
14. Patrouille à l'aube
15. NC 22654 ne répond plus
16. Menace au Nord
17. Buck Danny contre Lady X
18. Alerte en Malaisie
19. Le Tigre de Malaisie
20. S.O.S. soucoupes volantes
21. Un prototype a disparu
22. Top secret
23. Mission vers la vallée perdue
24. Prototype FX 13
25. Escadrille ZZ
26. Le retour des Tigres Volants
27. Les Tigres Volants à la rescousse
28. Tigres Volants contre pirates
29. Opération Mercury
30. Les voleurs de satellites
31. X-15
32. Alerte à Cap Kennedy
33. Le mystère des avions fantômes
34. Alerte atomique
35. L'escadrille de la mort
36. Les anges bleus
37. Le pilote au masque de cuir
38. La vallée de la mort verte
39. Requins en mer de Chine
40. Ghost Queen
Hors collection :
Tarawa, Atoll sanglant, 1re partie
Tarawa, Atoll sanglant, 2e partie

CARTE BLANCHE SPIROU

1. Jannin : Arnest Ringard
2. Sirius : Bouldaldar et Colegram
3. Bercovici :
Les grandes amours contrariées

DOCTEUR POCHE

Wasterlain
1. Il est minuit, Docteur Poche
2. L'île des hommes-papillons
3. Karabouilla et les belles vacances
4. La planète des chats

FRANKA

Henk Kuijpers
1. Le musée du crime

GASTON LAGAFFE

Franquin
R1. Gala de gaffes à gogo
R2. Le bureau des gaffes en gros
R3. Gare aux gaffes du gars gonflé
R4. En direct de Lagaffe
6. Des gaffes et des dégâts
7. Un gaffeur sachant gaffer
8. Lagaffe nous gâte
9. Le cas Lagaffe
10. Le géant de la gaffe
11. Gaffes, bévues et boulettes
12. Le gang des gaffeurs
13. Lagaffe mérite des baffes

GENIAL OLIVIER

Devos
1. L'école en folie
2. Le génie et sa génération
3. Génie, vidi, vici
4. Un généreux génie gêné
5. Le génie se surpasse
6. Un ingénieux ingénieur génial
7. Le passé composé
8. Electrons, molécules et pensums
9. L'électron et le blason
10. Un génie ingénu

GERMAIN ET NOUS

Jannin
1. Qu'est-ce qu'on fait ?
2. C'est pas bientôt fini, ce silence ?

GIL JOURDAN

Tillieux
1. Libellule s'évade
2. Popaïne et vieux tableaux
3. La voiture immergée
4. Les cargos du crépuscule
5. L'enfer de Xique-Xique
6. Surboum pour 4 roues
7. Les moines rouges
8. Les 3 taches
9. Le gant à 3 doigts
10. Le Chinois à deux roues
11. Chaud et froid
12. Pâtée explosive
Gos-Tillieux
13. Carats en vrac
14. Gil Jourdan et les fantômes
15. Sur la piste d'un 33 tours
16. Entre deux eaux

GODASSE ET GODAILLE

Sandron-Cauvin
1. Madame Sans-Gêne

HERMANN

1. Hé, Nick ! Tu rêves ?

L'HISTOIRE EN BANDES DESSINEES

1. L'épopée sanglante du Far West
2. Les mystérieux chevaliers du ciel
3. Incroyables aventures d'animaux
4. L'enfer sur mer
5. Les aventuriers du ciel
6. Héroïnes inconnues
7. Godefroi de Bouillon (Sirius)
8. Au cœur des grandes catastrophes
9. Baden-Powell (1re partie) (Jijé)
10. Baden-Powell (2e partie) (Jijé)
Hubinon-Charlier
11. Surcouf, roi des corsaires (1)
12. Surcouf, corsaire de France (2)
13. Surcouf, terreur des mers (3)

ISABELLE

Will-Franquin-Delporte
3. Les maléfices de l'Oncle Hermès
4. L'astragale de Cassiopée
5. Un empire de dix arpents
6. L'étang des sorciers

JEAN VALHARDI

Jijé
1. Soleil Noir
2. Le gang des diamants
3. Le château maudit
4. L'affaire Barnes
5. Le rayon super-gamma
6. La machine à conquérir le monde

JERRY SPRING

Jijé
11. La route de Coronado
12. El Zopilote
13. Pancho, hors-la-loi
14. Les Broncos du Montana
15. Le loup solitaire
16. La fille du Canyon
17. Le grand calumet

JESS LONG

Piroton-Tillieux
1. Le bouddha écarlate
2. Les ombres du feu
3. La piste sanglante
4. Les masques de mort
5. Il était deux fois dans l'Ouest
6. Grand Canyon
7. La mort jaune

JOHAN ET PIRLOUIT

Peyo
1. Le châtiment de Basenhau
2. Le maître de Roucybeuf
3. Le lutin du bois aux roches
4. La pierre de lune
5. Le serment des Vikings
6. La source des dieux
7. La flèche noire
8. Le sire de Montrésor
9. La flûte à six schtroumpfs
10. La guerre des sept fontaines
11. L'anneau des Castellac
12. Le pays maudit
13. Le sortilège de Maltrochu

LES KROSTONS

Deliège
1. Ballade pour un Kroston
2. La maison des mutants
3. La vie de château

LOU

Berck
1. L'héritage de Mortepierre
2. Les pirates
3. Les révolutionnaires
4. La bête noire

LUCKY LUKE

Morris
Albums brochés
1. La mine d'or de Dick Digger
2. Rodéo
3. Arizona
4. Sous le ciel de l'Ouest
5. Lucky Luke contre Pat Poker
6. Hors-la-loi
7. L'élixir du docteur Doxey
8. Phil Defer
9. Des rails sur la Prairie
10. Alerte aux Pieds-bleus
11. Lucky Luke contre Joss Jamon
12. Les cousins Dalton
13. Le juge
14. Ruée sur l'Oklahoma
15. L'évasion des Dalton
16. En remontant le Mississippi
17. Sur la piste des Dalton
18. A l'ombre des derricks
19. Les rivaux de Painful Gulch
20. Billy the Kid
21. Les collines noires
22. Les Dalton dans le blizzard
23. Les Dalton courent toujours
24. La caravane
25. La ville fantôme
26. Les Dalton se rachètent
27. Le 20e de Cavalerie
28. L'escorte
29. Des barbelés sur la Prairie
30. Calamity Jane
31. Tortillas pour les Dalton
Albums cartonnés/papier supérieur
Spécial Lucky Luke 1* (1-2-3)
Spécial Lucky Luke 2* (4-5-6)
Spécial Lucky Luke 3* (7-8-9)
Spécial Lucky Luke 4* (10-11-12)
Spécial Lucky Luke 5* (13-14-15)
Spécial Lucky Luke 6* (16-17-18)

MARC DACIER

Paape-Charlier
1. Aventures autour du monde

2. A la poursuite du soleil
3. Au-delà du Pacifique
4. Les secrets de la mer de Corail
5. La main noire
6. L'abominable homme des Andes
7. L'empire du soleil
8. Le péril guette sous la mer
9. Les sept cités de Cibola
10. Les négriers du ciel
11. Chasse à l'homme
12. L'or du « Vent d'Est »
13. Le train fantôme

MARC LEBUT ET SON VOISIN

Francis
1. Allegro Ford T
2. L'homme des vieux
3. Balade en Ford T
11. La Ford T énergique
12. Ford T fortissimo
13. La Ford T récalcitrante
14. La Ford T fait des bonds

LES MEILLEURS RECITS DU JOURNAL DE SPIROU
1. Contes de Noël
2. Lettres de mon moulin
3. Le Vieux Bleu
4. Mirliton
5. Chronique d'extraterrestres
6. Bonaventure
7. Blanc Casque

MIC MAC ADAM

Benn-Desberg
1. Le tyran de Midnight Cross

NATACHA

Walthéry
1. Natacha, hôtesse de l'air
2. Natacha et le Maharadjah
3. La mémoire de métal
4. Un trône pour Natacha
5. Double vol
6. Le treizième apôtre
7. L'hôtesse et Monna Lisa
8. Instantanés pour Caltech

PAPYRUS

Degieter
1. La momie engloutie
2. Le maître des trois portes
3. Le colosse sans visage
4. Le tombeau du Pharaon
5. L'Egyptien blanc

LA PATROUILLE DES CASTORS

MiTacq-Charlier
1. Le mystère de Grosbois
2. Le disparu de Ker-Aven
3. L'inconnu de la Villa Mystère
4. Sur la piste de Mowgli
5. La bouteille à la mer
6. Le trophée de Rochecombe
7. Le secret des monts Tabou
8. Le hameau englouti
9. Le traître sans visage
10. Le signe indien
11. Les loups écarlates
12. Menace en Camargue
13. La couronne cachée
14. Le chaudron du diable
15. L'autobus hanté
16. Le fantôme
17. Le pays de la mort
18. Les démons de la nuit
19. Vingt milliards sous la terre
20. El Demonio
21. Passeport pour le néant
22. Prisonniers du large

PAUL FORAN

Gil-Monterd
1. Chantage à la Terre
2. L'ombre du gorille

3. Le mystère du lac
4. La momie

PAUVRE LAMPIL

Lambil-Cauvin
1. Pauvre Lampil 1
2. Pauvre Lampil 2
3. Pauvre Lampil 3

PECHES DE JEUNESSE
1. Franquin : L'héritage (Spirou)
2. Franquin : Radar le robot (Spirou)
3. Jijé : Blondin et Cirage découvrent les soucoupes volantes
4. Tillieux : Le lac de l'homme mort (Marc Jaguar)
5. Will : Tif et Tondu en Amérique Centrale
6. Macherot : Chaminou et le Khrompire
7. Sirius : L'ennemi sous la mer (Epervier Bleu)
8. Walthéry : Vous êtes trop bon ! (Jacky et Célestin)
9. Jijé : Kamiliola (Blondin et Cirage)
10. MiTacq et Charlier : L'œil de Khâli (Jacques Le Gall)
11. MiTacq et Charlier : La déesse noire (Jacques Le Gall)
12. Tillieux : L'affaire des bijoux (Félix)
13. Walthéry : Casse-tête chinois (Jacky et Célestin)
14. Fournier : Bonjour, Bizu (Bizu)

LES PETITS HOMMES

Seron
1. L'exode
2. Des Petits Hommes au Brontoxique
3. Les guerriers du passé
4. Le lac de l'auto
5. L'œil du Cyclope
6. Le vaisseau fantôme
7. Les ronces du Samouraï
8. Du rêve en poudre
9. Le triangle du diable
10. Le peuple des abysses
11. Dans les griffes du Seigneur
12. Le guêpier
13. Les prisonniers du temps

POUSSY

Peyo
1. Ça, c'est Poussy
2. Faut pas Poussy
3. Poussy Poussa

SAMMY

Berck-Cauvin
1. Bons vieux pour les gorilles
2. Rhum Row
3. El Presidente
4. Les gorilles marquent des poings
5. Le gorille à huit pattes
6. Les gorilles font les fous
7. Les gorilles au pensionnat
8. Les gorilles et le Roi Dollar
9. Les pétroleurs du désert
10. Nuit blanche pour les gorilles
11. Deux histoires de gorilles
12. L'élixir de jeunesse
13. Le grand frisson
14. Les gorilles marquent des buts
15. Les gorilles à Hollywood

LES SCHTROUMPFS

Peyo
1. Les Schtroumpfs noirs
2. Le Schtroumpfissime
3. La Schtroumpfette
4. L'œuf et les Schtroumpfs
5. Les Schtroumpfs et le Cracoucass
6. Le Cosmoschtroumpf
7. L'apprenti Schtroumpf
8. Histoires de Schtroumpfs

9. Schtroumpf vert et vert Schtroumpf
10. La soupe aux Schtroumpfs

LE SCRAMEUSTACHE

Gos
1. L'héritier de l'Inca
2. Le magicien de la Grande Ourse
3. Le continent des deux lunes
4. Le totem de l'espace
5. Le fantôme du Cosmos
6. La fugue du Scrameustache
7. Les Galaxiens
8. La menace des Kromoks
9. Le dilemme de Khéna
10. Le prince des Galaxiens

SIBYLLINE

Macherot
1. Sibylline et la betterave
2. Sibylline en danger
3. Sibylline et les abeilles
4. Sibylline et le petit cirque
5. Sibylline s'envole
6. Sibylline et les cravates noires
7. Elixir le maléfique
8. Burokratz le vampire

SOPHIE

Jidéhem
1. L'œuf de Karamazout
2. La bulle du silence
3. Les bonheurs de Sophie
4. Qui fait peur à Zoé ?
5. Le rayon Kâ
6. La maison d'en face
7. Sophie et le cube qui parle
12. Cette sacrée Sophie
13. Sophie et les 4 saisons
14. Sophie et l'inspecteur Céleste
15. Sophie et Donald Mac Donald
16. Rétro Sophie

LES AVENTURES DE SPIROU ET FANTASIO

Franquin :
1. Quatre aventures de Spirou et Fantasio
2. Il y a un sorcier à Champignac
3. Les chapeaux noirs
4. Spirou et les héritiers
5. Les voleurs de Marsupilami
6. La corne de rhinocéros
7. Le dictateur et le champignon
8. La mauvaise tête
9. Le repaire de la murène
10. Les pirates du silence
11. Le gorille a bonne mine
12. Le nid des marsupilamis
13. Le voyageur du Mésozoïque
14. Le prisonnier du Bouddha
15. Z comme Zorglub
16. L'ombre du Z
17. Spirou et les hommes-bulles
18. QRN sur Bretzelburg
19. Panade à Champignac
24. Tembo Tabou
Fournier :
20. Le faiseur d'or
21. Du glucose pour Noémie
22. L'abbaye truquée
23. Tora-Torapa
25. Le gri-gri du Niokolo-Koba
26. Du cidre pour les étoiles
27. L'Ankou
28. Kodo, le tyran
29. Des haricots partout

TIF ET TONDU

Will-Rosy :
4. Tif et Tondu contre la Main Blanche
5. Le retour de Choc
6. Passez muscade
7. Plein gaz
8. La villa du Long-Cri
9. Choc au Louvre
10. Les flèches de nulle part
11. La poupée ridicule
12. Le réveil de Toar
13. Le grand combat

14. La matière verte
15. Tif rebondit
Will-Tillieux :
16. L'ombre sans corps
17. Tif et Tondu contre le cobra
18. Le roc maudit
19. Sorti des abîmes
20. Les ressuscités
21. Le scaphandrier mort
22. Un plan démoniaque
23. Tif et Tondu à New York
24. Aventure birmane
25. Le retour de la bête
26. Le gouffre interdit
27. Les passe-montagnes
Will-Desberg :
28. Métamorphoses
29. Le sanctuaire oublié
30. Echecs et match

TIMOUR

Sirius
1. La tribu de l'homme rouge
2. La colonne ardente
3. Le talisman de Timour
4. Le glaive de bronze
5. Le captif de Carthage
6. Le fils du centurion
7. Le gladiateur masqué
8. Timour contre Attila

LES TUNIQUES BLEUES

Salvérius-Cauvin
1. Un chariot dans l'Ouest
2. Du Nord au Sud
3. Et pour 1.500 dollars en plus
4. Outlaw
9. La grande patrouille
10. Des bleus et des tuniques
Lambil-Cauvin
5. Les déserteurs
6. La prison de Robertsonville
7. Les bleus de la marine
8. Les cavaliers du ciel
11. Des bleus en noir et blanc
12. Les bleus tournent cosaques
13. Les bleus dans la gadoue
14. Le blanc-bec
15. Rumberley
16. Bronco Benny
17. El Padre
18. Blue Rétro
19. Le David

VIEUX NICK

Remacle
1. Pavillons Noirs
2. Le vaisseau du diable
18. Le feu de la colère
19. Sous la griffe de Lucifer
20. Les nouvelles mésaventures de Barbe-Noire
21. La princesse et le pirate
22. Sous les voiles
23. Barbe-Noire, Hercule et Cie
24. Le mal étrange

WOFI

Blesteau
1. Fable et attrapes
2. L'escadrille des becs-jaunes

YOKO TSUNO

Leloup
1. Le trio de l'étrange
2. L'orgue du diable
3. La forge de Vulcain
4. Aventures électroniques
5. Message pour l'éternité
6. Les 3 soleils de Vinéa
7. La frontière de la vie
8. Les titans
9. La fille du vent
10. La lumière d'Ixo
11. La spirale du temps
12. La proie et l'ombre

DON BOSCO

Jijé
La vie prodigieuse et héroïque de Don Bosco

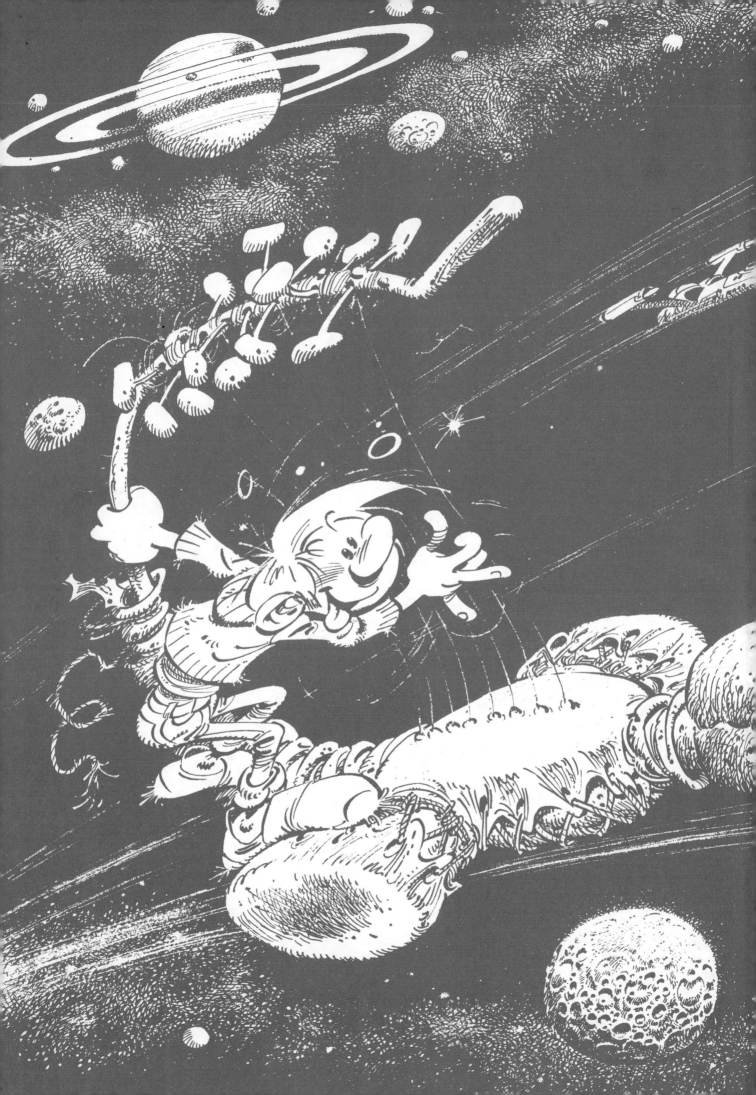